For Jack Buss , MPI / CNRS GRENOBLE
26/4/96

FRANK

Walter Joss

best wishes Herbert

Jan. Jaap

Hans Bluyssen

M. Prein le

M. Dre

Dabopol

Robert

Stef.

(Anemone in Flikk!)

Antoine Dolou

Remembering the 'Beringer'
cold sleep

Arrivederci

Gregol

Looking forward to see you again

Niko

For Jack
Good luck

D1293889

Roch

LE DAUPHINE
VU DU CIEL

Préface de
Henri Giraud
Légendes de
Robert Bornecque

Photographies de
François et Laurent Dardelet

Un jour de très basse pression, un jour où, exceptionnellement, je ne survolais pas les Alpes comme je le fais presque quotidiennement depuis cinquante quatre ans, François Dardelet a frappé à ma porte. Sous sa canadienne, il abritait les épreuves du livre que vous tenez en main aujourd'hui.

En déployant ces grands feuillets à l'italienne, mille péripéties me revinrent en mémoire : celles de mon atterrissage au sommet du Mont Blanc en juin 1960, celles du Mont Aiguille, où j'ai posé plus de cinquante fois les trois pattes de mon piper. De page en page je retrouvai, entre autres, les glaciers de Sarenne, du Mont de Lans, de Saint-Sorlin, où j'ai eu le bonheur de déposer plus de quinze mille skieurs, à l'époque où la liberté de vol n'était pas un vain mot...

Mais je pense à toi, lecteur placide et rusé, bien avisé de vouloir planer dans ces pages. Un conseil à te donner pour en tirer plus de plaisir : en attendant de voler à ton tour, ouvre largement les deux ailes de ton livre sur les accoudoirs de ton rocking chair et cligne des yeux... Voici un ouvrage dont tu pourras dire avec la fierté légitime des voyageurs habilement paresseux : le "Dauphiné" de Dardelet ? Je l'ai survolé !

Henri Giraud

Le Dauphiné s'étend sur des régions contrastées et ne présente aucune unité géographique. Les vues qui suivent en convaincront facilement le lecteur. Il recouvre une notable partie des Alpes, depuis la frontière italienne en Briançonnais et Queyras jusqu'aux Préalpes (Chartreuse, Vercors, Diois, Baronnies). Entre les deux se dresse la série des massifs cristallins, encore modestes avec Belledonne (2 978 m. au Grand-Pic), plus audacieux dans les Grandes-Rousses (3 468 m. à l'Etendard), dépassant 4 000 m. en Oisans avec la Barre des Ecrins (4 102 m.). Mais ces montagnes sont aérées par des passages dont certains sont très faciles et actifs comme le Graisivaudan (vallée de l'Isère), d'autres moins réguliers, mais d'utilisation cependant aisée (vallées de la Durance ou du Drac). Enfin, avec le Mont Genèvre, le Dauphiné possède une liaison commode avec l'Italie, mais dont le débouché, suivant la Durance, oblique vers le midi et tourne le dos au Dauphiné septentrional. En avant des Alpes et jusqu'au Rhône s'étendent des pays de collines ou de plaines dont la physionomie varie surtout en fonction du climat : encore humides et brumeux au nord (les Terres-Froides), ils se réchauffent peu à peu vers le sud pour prendre, aux confins de la Drôme, une allure tout à fait provençale : à Nyons, on cultive l'olivier. La seule limite nettement tracée suit le cours du Rhône en amont et en aval de Lyon, en se retirant quelque peu autour de l'agglomération lyonnaise. Fleuve rapide, au débit considérable, le Rhône, malgré quelques ponts souvent emportés, a longtemps constitué un obstacle difficile à franchir, servant de limite entre les terres du roi de France et celles du Saint Empire romain-germanique. Au XIXe siècle encore, les bateliers ne désignaient la rive droite et la rive gauche que par les termes de Riaume et Empéri. Mais cette expression nous introduit dans le domaine de l'histoire.

A l'évidence, le Dauphiné est une création historique qui a rassemblé sous une même autorité des terroirs très divers. C'est le résultat du patient travail des Comtes d'Albon, qui rappelle un peu celui des Capétiens. L'archevêque de Vienne Brochard partagea en 1 030 son héritage entre deux seigneurs. Il inféoda la partie nord au comte Humbert aux Blanches-Mains, et ce fut la naissance de la Savoie. La partie sud fut donnée au comte d'Albon Guigues-le-Vieux. Lui-même et ses successeurs prirent rapidement pied à Grenoble où leur autorité ne tarda pas à éclipser celle des évêques. Des mariages, des traités, permirent à ces comtes, devenus Dauphins de Viennois, de maîtriser un passage des Alpes par l'acquisition du Briançonnais, étalé sur les deux versants. La poussée vers le sud rhodanien fut plus tardive. Le grand adversaire demeura la Savoie et la frontière nord du Dauphiné connut maintes variations. Après

1349, date du rattachement à la France, la politique royale relaya celle des Dauphins et assura un tracé stable. On a beaucoup épilogué sur l'origine du nom «Dauphin». Ce fut semble-t-il un prénom (Delphin, nous avons conservé le féminin Delphine) introduit peut être par une princesse italienne, épouse d'un comte d'Albon. Il devint ensuite un titre, jugé plus prestigieux que celui de comte. En 1349, lors du «transport» du Dauphiné à la France, il fut établi que le fils aîné du roi porterait le titre de Dauphin. Le futur Charles V inaugura la série, mais Louis XI est le seul Dauphin royal (en tant que Louis II) à être venu gouverner son apanage.

Ressort d'un Parlement créé en 1453 par le Dauphin Louis, futur Louis XI, le Dauphiné devint sous Louis XIV une Généralité et bénéficia de l'efficace autorité de ses intendants. Depuis le XVIe siècle, les expéditions en Italie faisaient de la province un lieu de passage des troupes. Les guerres de religion, particulièrement destructrices, se doublèrent d'une lutte franco-savoyarde à laquelle Henri IV et Lesdiguières surent mettre fin (1601). La tension renaissante vers la fin du XVIIe siècle suscita de grands travaux de fortifications, mis au point par deux voyages de Vauban dans les Alpes en 1692 et 1700 (Barraux, Briançon, Montdauphin). C'est alors qu'eut lieu un remaniement de frontière assez déplorable. Au traité d'Utrecht, en 1713, Louis XIV aux abois et désireux de faire la paix avec le duc de Savoie lui céda les trois vallées dauphinoises d'outre-mont : Doire-Ripaire (Bardonèche, Oulx, Chaumont), Val Cluson (Sestrière, Fenestrelle), Val Varaïta (Château-Dauphin). Il ne reçut en échange que la maigre Ubaye, qui fut d'ailleurs rattachée à la Provence.

Les dauphinois se placèrent à l'avant-garde des idées révolutionnaires. A la suite de l'émeute grenobloise de la «Journée des Tuiles» (juin 1788), une assemblée de notables réunie à Vizille préconisa un certain nombre de mesures, qui furent reprises par les Etats Généraux de 1789. Les Grenoblois Mably et Condillac avaient déjà apporté leur contribution à la réflexion politique des philosophes. Mais la modération l'emporta vite, Mounier, puis Barnave furent dépassés et la Terreur resta limitée, notamment à Grenoble où la guillotine ne fonctionna que deux fois. Bonapartistes après l'abdication de Napoléon (avril 1814) les Dauphinois, par contre, résistèrent au coup d'état du 2 décembre, notamment dans la Drôme où les sentiments républicains s'affirmèrent. Toutefois, le XIXe siècle compte surtout par le rapide essor économique qui l'accompagne. C'est alors que Grenoble connaît un développement qui lui permet de distancer ses rivales potentielles, Vienne, Romans, Valence. La région voit se multiplier les cimenteries, les ganteries, les papeteries. La mise en oeuvre de la force hydraulique par des conduites forcées (Aristide Bergès à Lancey) va susciter la multiplication des usines électromécaniques. Mais rien n'est jamais définitif. C'est à leur capacité d'adaptation, à leur esprit d'initiative que les habitants du Dauphiné doivent de maintenir leur rang dans la production industrielle comme dans la recherche. Si Valence se trouve bien placée dans l'axe Lyon-Méditerranée, Grenoble doit surmonter le handicap d'un isolement relatif. Elle y parvient en privilégiant les laboratoires et les industries de pointe. Enfin, la richesse des paysages et les immenses possibilités sportives offertes par la montagne ont favorisé un bel essor du tourisme. Ce n'est pas un hasard si le premier syndicat d'initiative de France a été créé à Grenoble en 1889.

Comme l'histoire ne se répète pas, aux facteurs qui ont contribué à créer le Dauphiné en ont succédé d'autres qui tendent à le détruire. Ce fut d'abord la création des départements en 1790. Trois d'entre eux furent taillés dans l'ancienne province : l'Isère (Grenoble), la Drôme (Valence) et les Hautes-Alpes (Gap). Plus récemment, la régionalisation a séparé les Hautes-Alpes du reste du Dauphiné en les rattachant à la région Provence-Alpes-Côte d'Azur, alors que l'Isère et la Drôme font partie de Rhône-Alpes. Ainsi s'estompent les liens que seuls les historiens tentent de rappeler. Sans parler de l'appétit de l'agglomération lyonnaise qui, pour assurer son développement vers l'est a annexé au département du Rhône plusieurs cantons de l'Isère, notamment le site de l'aéroport de Satolas. Faut-il rappeler qu'il y a peu Villeurbanne faisait partie du diocèse de Grenoble ?

S'il est vain de vouloir ressusciter une institution tombée naturellement en désuétude, il est par contre opportun de maintenir la mémoire de ce qui a été afin de mieux comprendre ce qui est. Je souhaite que les images qui suivent rappellent que le Dauphiné, vaste province de l'ancienne France, ne se limite pas à Grenoble et permettent d'apprécier l'infinie variété et l'étonnante beauté de ses paysages.

Robert Bornecque

The province of Dauphiné covers regions of contrast with no geographical unity. The reader will be convinced of this by the photographs that follow. It covers a considerable part of the Alps, from the Italian border in Briançonnais and Queyras to the pre-Alpine massifs (Chartreuse, Vercors, Diois, Barronnies). Between these stand the crystalline massifs, still modest with Belledonne (2 978 m. at the Grand Pic), more audacious in the Grandes Rousses (3 468 m. at the Etendard), reaching above 4 000 m. in Oisans with the summit of the Barre des Ecrins at 4 102 m. These mountains are distributed around passages, some easily accessible and busy, such as Graisivaudan (Isère valley), others less regular but nonetheless well used (Durance and Drac valleys). Additionally, via the Mont Genèvre, Dauphiné has a convenient passage to Italy although, following the course of the Durance river, it turns south, leaving behind the northern part of Dauphiné. From the foothills of the Alps to the Rhône, lie areas of hills and plains whose features are mainly determined by the climate: humid and misty in the north (the «Terres-Froides»), warmer going south and taking on, at the extreme end of the Drôme, a typically «provençale» appearance: Nyons is surrounded by olive groves. The only clear-cut limit is the Rhône upstream and downstream from Lyons and retreating a little around Lyons itself. A fast river, the Rhône, despite several bridges often carried away by the considerable flow of water remained for many years an obstacle that was difficult to cross and marked the limit between the Kingdom of France and the Holy Roman Empire. As late as the XIXth century, the ferrymen referred to the right bank and the left bank respectively only as «Riaume» and «Empéri». These thoughts, however, lead us into the history of Dauphiné.

It is quite obvious that Dauphiné was a political creation whereby very diversified lands were gathered under a single authority. This was the result of the patient labour of the Counts of Albon, somewhat similar to the Capetians'. In the year 1030, Brochard, the archbishop of Vienne, divided his estate between two lords. The northern part was pledged to the Count Humbert aux Blanches-Mains, and became Savoy. The southern part was bequeathed to the Count of Albon Guigues the Elder. The latter and his successors settled in Grenoble where their authority soon overshadowed that of the Bishops. Through marriages and treaties, these counts who in the meantime had become «Dauphins de Viennois», managed to control an Alpine pass, through the acquisition of Briançonnais on both sides of the mountain range. Southward progression down the Rhône valley came later. Savoy remained the major enemy and the northern border of Dauphiné changed many times. After 1349, when Dauphiné became part of France, the King's policy took over that of the Dauphin and provided a stable border. There has been much talk about the origin of the name «Dauphin». It seems that it was a Christian name, Delphin (the feminine form, Delphine, still exists), possibly introduced by an Italian princess married to one of the Counts of Albon. It then became a title that was considered to be more prestigious than that of Count. In 1349, when Dauphiné became part of France, it was decided that the King's eldest son would have the title of «Dauphin». The future Charles V was the first in the line, but Louis XI (as Louis II) is the only royal Dauphin who ever came to rule his land.

Ruled by a Parliament created in 1453 by the Dauphin Louis, the future king Louis XI, Dauphiné became a Généralité under Louis XIV and benefited from the efficient administration of its «Intendants». Since the XVIth century, the province was a place of passage for troups on expeditions to Italy. The wars of religion, particularly destructive, were coupled with the conflict between France and Savoy to which Henri IV and Lesdiguières put an end (1601). The reviving tension towards the end of the XVIIth century gave rise to many fortifications arranged by Vauban during two trips to the Alps in 1692 and 1700 (Barraux, Briançon, Montdauphin). At that time, a deplorable border change took place. Under the treaty of Utrecht in 1713, Louis XIV at bay and anxious to make peace with the Duke of Savoy surrendered the three valleys of Dauphiné that lie on the eastern side of the Alps: Doire-Ripaire (Bardonèche, Oulx, Chaumont), Val Cluson (Sestrière, Fenestrelle), and Val Varaïta (Château-Dauphin). In exchange, he obtained only the meager Ubaye which, besides, was united with Provence.

The people of Dauphiné stood at the fore front of revolutionary ideas. After the riots in Grenoble called «Journée des Tuiles» (June 1788), an assembly of local leading figures met in Vizille and advocated a number of measures which were taken up by the States General of 1789. The Grenoblois Mably and Condillac had already made their contribution to the political trends set by the philosophers. However, moderation soon prevailed, Mounier and Barnave were taken over, and the «Reign of Terror» was limited, especially in Grenoble where the guillotine was used only twice. Bonapartists after Napoleon's abdication (April 1814), the people of Dauphiné nonetheless resisted the coup of the 2nd December, in particular in the Drôme where Republican feelings were strong. However, the XIXth century is mainly remarkable for its rapid economic growth. Grenoble's development enabled her to leave behind her potential rivals, Vienne, Romans and Valence. Cement works, glove factories and paper mills multiplied in the region. The implementation of hydraulic force via pressure pipelines (Aristide Bergès in Lancey) led to the expansion of electromechanical factories. But nothing is forever. It is to their adaptability and initiative that the Dauphinois owe to keep up their ranking in industrial production and in research. In comparison with Valence, well situated on the Lyons-Mediterranean axis, Grenoble must overcome its relative isolation. This the city has managed by encouraging leading-edge laboratories and industries. In addition, the rich landscapes and the wide range of sporting opportunities offered by the mountains have helped the rapid growth of the tourist industry. It is not by chance that the first tourist information office was created in Grenoble in 1889.

As history does not repeat itself, the factors that contributed to create Dauphiné were followed by others that tended to destroy it. First came the creation of departments in 1790. The old province was divided into three of these: the Isère (Grenoble), the Drôme (Valence) and the Hautes-Alpes (Gap). More recently, the division of France into regions separated the Hautes-Alpes from the rest of Dauphiné and united this department with the region Provence-Alpes-Côte d'Azur, while the Isère and the Drôme were included in the Rhône-Alpes region. Thus fade away the links that historians alone attempt to recall. Without mentioning the appetite of Lyons who annexed several districts of the Isère, in particular the site of Satolas airport, to ensure its eastwards development. It is also worth noting that until recently, Villeurbanne was part of Grenoble's diocese.

Although it is vain to wish to bring back to life an institution that has naturally become outdated, it is nonetheless worthwhile to restore the memory of the past in order to better understand the present. I hope that the photographs that follow will remind the reader that Dauphiné, a vast province of ancient France, does not stop at Grenoble, and will help him to appreciate the infinite variety and stunning beauty of its landscapes.

Robert Bornecque

1. Le Graisivaudan,
coeur du Dauphiné. Entre les roches cristallines
de Belledonne (à droite) et les calcaires de
Chartreuse (à gauche) les glaciers ont taillé une
large et profonde vallée. Le lac qui leur succéda
s'est comblé pour donner une plaine horizontale.
Modeste héritière des glaciers, l'Isère divagua
longtemps avant d'être endiguée. Sur les terres
drainées les cultures prospèrent à qui mieux
mieux. Seule une «forêt galerie» souligne les
méandres et abrite une faune abondante.

The Graisivaudan valley,
the heart of Dauphiné. Between the crystalline
rocks of Belledonne (right) and the limestone of
Chartreuse (left), the glaciers have cut out this
deep and wide valley.

2 à **6**. Géométrie.
On croit sentir le toucher râpeux de
quelqu'étoffe en regardant les rangs serrés d
cultures ou les traces rectilignes d'une herse

Geometry.

Châteaux en Graisivaudan
Castles of Graisivaudan

7. Tencin.
Construit sous Louis XVI par le Marquis de Monteynard, ancien ministre de la guerre de Louis XV. La célèbre Madame de Tencin naquit dans le vieux château aujourd'hui en ruine, situé en amont.

Tencin. Built under Louis XVI by the Marquis de Monteynard, former Secretary of War to Louis XV.

8. Le Carré.
Il s'agit d'une maison-forte, disposant de quelques défenses sans prétendre aux capacités d'un château-fort. Elle fut habitée il y a peu par l'ingénieur Henri Fabre, inventeur de l'hydravion.

Le Carré is a fortified mansion which was recently occupied by Henri Fabre, the inventor of the seaplane.

9. Château-Bayard.
La famille du Terrail habitait au dessus de Pontcharra un château malheureusement vandalisé au XIXe siècle. C'est là pourtant que naquit Pierre du Terrail, seigneur de Bayard, une des plus nobles figures du XVIe siècle.

Château-Bayard. Here was born Pierre du Terrail, Lord of Bayard, one of the noblest figures of the XVIth century.

10. Crolles.
Au XVIIe siècle, bien des demeures fortifiées se débarrassent de leur appareil guerrier pour devenir des résidences de plaisance où la noblesse parlementaire de Grenoble venait volontiers passer la belle saison.

Crolles. In the XVIIth century, fortified houses gave place to country residences where the nobility spent the summer.

11. Boutières.
Ce n'est plus qu'une grosse ferme dont les tours tronquées ne dépassent pas les toits du corps de logis. Mais ce fut le château du «brave Boutières», un des plus vaillants compagnons de Bayard.

Boutières. This castle belonged to «the brave Boutières», one of Bayard's worthiest companions.

12. Le Touvet.
Fief des Marcieu, grands personnages du Dauphiné, cette ancienne forteresse fut transformée au XVIIIᵉ siècle, mais on lui conserva quelques tours, nobles témoins de son passé militaire. Dans un jardin français dessiné à la même époque, un très remarquable escalier d'eau multiplie bassins, goulettes et chutes, vivant écho des cascades de Marly, aujourd'hui disparues.

Le Touvet. Stronghold of the Marcieu, a great family in the history of Dauphiné.

13. Fort Barraux.
Construit en France en 1597 par un duc de Savoie provocateur, pris huit mois après par Lesdiguières (mars 1598), modifié par les ingénieurs de Henri IV, ce fort reçut sa physionomie définitive sur les ordres de Vauban, venu ici en 1692 et 1700. Conservé intact par l'armée jusqu'en 1988, il est aujourd'hui propriété d'un poids écrasant pour la petite commune de Barraux. C'est pourtant l'un des ouvrages fortifiés les plus remarquables de France.

Fort Barraux. Built in France in 1597, this fort was redesigned by Vauban who gave it the physiognomy it still has today - one of the most remarkable fortresses in France.

14. Vizille.
Le «château du roi» surveillait les débouchés des
routes de Briançon. Le fastueux Lesdiguières
amplifia le château à la mesure de sa puissance
et de sa fortune. Ses successeurs créèrent le
parc, puis vendirent le domaine aux Perier,
grands industriels dauphinois. En 1788,
Claude Perier accueillit dans l'orangerie du château (détruite) une assemblée de notables de
province. Sous la direction de Mounier et
Barnave, furent posés plusieurs des principes
mis en oeuvre par les États-Généraux de 1789.

*Vizille. The «King's Castle» watched over the
roads from Briançon.*

15. Lac de Laffrey.
L'énorme glacier de la Romanche, épais de plus d'un kilomètre, joignait celui du Drac par le plateau de la Matheysine.
Il a laissé en fondant les quatre lacs de Laffrey. Sur fond de Vercors (Grand Veymont et Mont Aiguille), on voit ici le grand lac au bord duquel eut lieu la fameuse rencontre de Napoléon et des troupes de Grenoble, lors du retour de l'île d'Elbe (1815).

Lake Laffrey.
The enormous Romanche glacier, more than a kilometre thick, joins that of the Drac across the Matheysine plateau. In melting it has left the four lakes of Laffrey. At the base of the Vercors (Grand Veymont and Mont Aiguille), one sees here the big lake at the edge of which saw the famous meeting between Napoleon and the troops of Grenoble, after his return from the Island of Elba (1815).

16. (double page suivante)
Vue traversante des Alpes. La mer de nuages qui stagne aux environs de 1 000 mètres transforme les Alpes en un archipel aligné nord-sud.
Ce sont d'abord les plis du massif calcaire préalpin de la Chartreuse qui dominent à gauche le Bas-Dauphiné. Derrière la barrière continue qui s'allonge de la dent de Crolles (à droite) jusqu'au Granier, se devine le long et profond couloir du sillon alpin (Graisivaudan - Combe de Savoie).
Le décor se ferme par les cimes neigeuses des chaînes cristallines qui du Mont-Blanc à Belledonne et au delà constituent l'axe médian des Alpes. Surgissant encore plus en arrière, quelques sommets de la Vanoise signalent la zone «intra-alpine» des géographes, la plus complexe de toutes.

(overleaf))
Bird's eye view over the Alps. The sea of clouds that clings to the mountains at around 1 000 meters turning the Alps into an archipelago stretching from north to south. The folds of the prealpine limestone massif of Chartreuse on the left dominate Bas-Dauphiné. Behind the ridge lies the long and deep Alpine trough. In the background, the landscape closes on the snow covered crystalline peaks ranging from the Mont-Blanc to Belledonne and forming the median axis of the Alps.

17. Crêtes cartusiennes
Soulevée par le mouvement vertical de l'axe cristallin
central, la couverture sédimentaire a glissé vers
l'ouest en se plissant. On voit bien ici les couches suc-
cessives plonger vers la gauche (ouest). La longue
falaise subhorizontale du Saint Eynard (à droite) est
la tranche du calcaire tithonique (jurassique) qui
plonge rapidement sous sa couverture de forêt pour
former le petit pli de l'Ecoutoux (coupé par le bord
gauche de la photo). L'érosion a emporté la majeure
partie des couches qui s'empilaient au dessus, et dont
la belle pyramide de Chamechaude (2 084 m.) est un
témoin.

Chartreuse peaks.
On the right, the long subhorizontal Saint Eynard cliff.

18. De la dent de Crolles au Granier.
Une telle vue fait la joie du géographe. On y voit clairement le phénomène du «synclinal perché».
La forme en gouttière indique le creux d'un pli (ou synclinal). Les saillies encadrantes, plus élevées, ont été érodées plus vite et le fond du pli, mis en relief, domine maintenant de part et d'autre le vide.
Cette «inversion du relief» (les fonds deviennent les sommets) est typique des plissements calcaires.

*From the Dent de Crolles (tooth of Crolles)
to the Granier. This view is a geographer's delight. It
clearly shows an upstanding syncline. The U-shape indicates the bottom of a fold (or syncline).*

20. Le nord du Graisivaudan.
Entre la dent de Crolles et la plaine, le plateau des Petites Roches
forme une longue terrane, naguèr
actif terroir rural. Au premier plan
à gauche, l'entonnoir où se rassen-
blent les eaux du Manival, qui
déposent leurs alluvions tout de
suite en aval, formant le plus vaste
cône de déjection des Alpes
françaises.

North Graisivaudan.
Between the Dent de Crolles and th
plain, the plateau of Petites Roches.

21. Entre Belledonne et Vercors
Forte illusion d'une mer déchaînée qui vient
battre Belledonne (premier plan) et l'Oisans
(second plan à gauche). Au fonds le Vercors avec
le Grand Veymont et la tour détachée du Mont-
Aiguille.

*Between Belledonne and the Vercors. The illusion
of a raging sea is strong, beating against
Belledonne (in the foreground) and Oisans
(behind, left).*

22. Coucher de soleil
Au premier plan : Prapoutel, Pipay, puis la
Maurienne et la Vanoise.

*Sunset over the Prapoutel, Pipay (foreground),
Maurienne and Vanoise.*

23. Les Alpes Dauphinoises.
Trois massifs bien individualisés : au premier
plan, Belledonne avec les trois pics (2 978 m. au
Grand Pic), puis les surfaces adoucies du Dôme
des Rousses, immense domaine skiable, enfin le
massif de la Meije dont le Pic Central (3 983 m.)
pointe dans l'axe de l'image.

The Alps of Dauphiné. Three distinct massifs:
Belledonne in the foreground, the rounder surface
of the Dome des Rousses behind and further in the
background, the Meije culminating at 3 983 m.

24. (double page suivante) Les Alpes Dauphinoises.
Sur un champ élargi, c'est la même perspective que sur
la page précédente. La montagne en hiver, monde polaire
de neige et de glace aux portes de Grenoble.

(overleaf) The Alps of Dauphiné.
The mountains in winter, a polar world of snow and ice on
the outskirts of Grenoble.

25. Mer de nuages
Elle semble border le relief par une lame déferlante qui
complète l'illusion océanique.

*Sea of clouds. The mountain tops seem to be surrounded
by breakers and the oceanic illusion is complete.*

26. Mer de nuages
Skieurs et randonneurs ont souvent le bonheur de
déboucher au dessus de la nappe de brume et de
nuage pour jouir du grand soleil dont sont privés les
habitants de la plaine. On voit ici, entre la bordure de la
Chartreuse et Belledonne, la longue coulée du sillon
alpin (Grenoble vers la droite).

*Sea of clouds. Skiers and walkers often experience the
delight of emerging out above the mantel of mist and
clouds to enjoy the sun the valley dwellers are deprived of.*

27, 29. Coupe Icare.
Son site particulièrement favorable à la pratique
du vol libre, fait de St Hilaire un lieu de renom-
mée mondiale. Les manifestations qui s'y dérou-
lent chaque année rassemblent un public et des
participants de plus en plus nombreux. Outre la
route, un funiculaire assez vertigineux permet
d'atteindre le plateau.

Coupe Icare.
Its particularly favourable site for free flight, gives
St Hilaire a world-wide reputation. The meetings
which take place every year bring together an
increasing number of participants and public.
Other than the road, a particularly vertiginous
funicular railway gives access to the plateau.

28. Au pied des falaises de la Dent de
Crolles, le plateau des Petites Roches forme un
gradin intermédiaire au dessus du Grésivaudan.
Si l'activité rurale a décru, la présence de nombreux sanatoriums a créé de nouvelles activités.

At the foot of the cliffs of the Dent de Crolles, the
plateau of the Petites Roches forms an intermedi-
ate tier above the Grésivaudan. If rural activity
has decreased, the presence of many sanatoriums
has created new activities.

30. La Grande Chartreuse.
En 1084, Saint Bruno et ses compagnons s'établirent au
«désert» de Chartreuse ; leurs successeurs furent contraints
par les avalanches de se replier un peu en aval. C'est là qu'au
XVIIe siècle, après un incendie, fut bâti le monastère actuel.
Le gros bâtiment flanqué de quatre pavillons accueille
notamment les chapitres généraux de l'ordre. Les maison-
nettes individuelles avec leur jardin s'alignent le long d'un
immense couloir. Ermites quand ils sont chez eux, les chartreux deviennent des moines pour tous les offices célébrés
en communauté.

Grande Chartreuse.
In 1084, Saint Bruno and his companions settled down in the
«desert» of Chartreuse. The Chartreux lead the life of hermits,
in their individual little houses, and of monks for all communi-
ty celebrations.

31. Massif de la Chartreuse.
A l'échelle de la montagne, les hectares de toitures du
monastère deviennent miniature dérisoire.
A gauche, la crête du Grand-Som (2 026 m.), à droite le
Charmant-Som. Non loin, sur sa gauche, Chamechaude
(2 084 m.) et au fond Belledonne.

The Chartreuse massif.
At the scale of its mountain setting, the monastery's hectares of
roofs look insignificant.

32. St. Pierre de Chartreuse.
Ce petit bourg est le centre du massif. Proche de Grenoble,
on y pratiqua très tôt le ski et l'on y expérimenta le premier
télésiège.

St Pierre de Chartreuse.
This village is at the centre of the Massif. Not far from
Grenoble, one of the earliest ski centres and it was here that
experiments with the first ski lift were made.

33. (double page suivante) Le fort du Saint Eynard

Bâti de 1873 à 1879, le fort du Saint Eynard occupe, à 1350 mètres d'altitude, une crête calcaire qu'il fallait interdire à un ennemi qui eut, de là, foudroyé Grenoble. Les batteries du fort tiraient vers les cols de Porte et de l'Emeindra, de part et d'autre de Chamechaude. Aujourd'hui en cours de restauration, ce fort offre un extraordinaire belvédère qui domine le Graisivaudan et la ville, tapis 1100 mètres plus bas.

(overleaf) The Fort of Saint Eynard. Built between 1873 and 1879 at 1350 meters above sea level, the Fort of Saint Eynard occupies a limestone ridge that needed to be defended against possible enemies who from there could swoop down onto Grenoble.

34. Réaumont.
Le percement d'un tunnel fut fatal aux ruines d'un vieux château, mais un pastiche moderne a profité des terrasses existantes pour y planter ses tours, sans doute quelque peu perturbées par le passage des trains.

Réaumont with the modern copy of its old castle.

35. Voiron,
ville active et vivante, fière de sa «cathédrale». En fait l'église Saint Bruno, adroit pastiche gothique du XIXe siècle, est seulement une paroisse, mais si majestueuse !. La liqueur des pères Chartreux y est aujourd' hui fabriquée.

Voiron a bustling town.

36. Château de Virieu.
Le château médiéval fut fortement réaménagé au XVIIe siècle, pour fournir un logis plus plaisant. Louis XIII y séjourna et y laissa en souvenir des canons. La façade principale et les terrasses étagées au devant contemplent la fraîche et paisible vallée de la Bourbre, où Lamartine trouva l'inspiration du «Vallon».

Virieu Castle.
The front elevation and stepped terraces of the medieval castle contemplate the cool and peaceful Bourbre valley where the French poet Lamartine sought inspiration for «Le Vallon».

37. (double page précédente)
Fermée par Belledonne, la Chartreuse et le Vercors (au premier plan), la plaine de Grenoble est progressivement recouverte par le bâti urbain qui soude les villages environnants à la ville. Du Moucherotte, à droite (1 901 m.) la crête descend aux rochers des Trois Pucelles. A gauche, le plateau de Saint Nizier, où eurent lieu en juin 1944 les premiers combats entre les Allemands et les défenseurs du Vercors.

(preceding page)
Grenoble. Closed in by Belledonne, Chartreuse and the Vercors (in the foreground).

38. Grenoble.

apitale des Alpes françaises, mais ville la plus plate de France, Grenoble occupe un
ncien lac glaciaire comblé. La beauté de son cadre montagneux, l'accès rapide à nombre
e sports d'hiver ou d'été ont attiré bien des habitants. Mais l'esprit d'entreprise, l'initiati-
e incessante pour adapter et renouveler les activités d'une ville située à l'écart des
rands courants d'échange expliquent principalement le développement contemporain de
renoble.

*renoble. Capital of the French Alps and the flattest city in France, Grenoble was erected on
ie site of an ancient glacial lake. The beauty of its mountain setting as well as easy access to
vinter sports has attracted many of the inhabitants.*

39, **40** Grenoble.
Contraste entre l'ovale de la vieille ville
au plan irrégulier (à gauche) et les
avenues rectilignes bordées d'im-
meubles cossus de l'époque de la
IIIème République, qui vit Grenoble
devenir une ville moderne.

*Grenoble. Contrast between the oval of
the old town with its irregular plan
(to the left) and the rectilinear avenues
lined with smart apartment buildings
dating from the 3rd Republic.*

41. Grenoble, les vieux quartiers.
L'évêque et les Dauphins se disputaient
la maîtrise de Grenoble. Les seconds
l'emportèrent et affirmèrent leur pri-
mauté en étendant leur palais et en le
dotant d'une imposante chapelle palati-
ne, l'église Saint André (XIIIe siècle).
Dépendance du palais, le Parlement de
Dauphiné bordait l'Isère. Il a été réaménagé à la fin du XIX siècle, tout en
conservant ses parties anciennes
(XVIe siècle) et ses décors intérieurs
(XVIIe siècle).

Grenoble, the old city.

42. La Bastille.
renoble fut longtemps ville frontière
a Savoie resta étrangère jusqu'en 1860).
occupation de la Bastille pour défendre
renoble s'imposa à Lesdiguières en 1591,
ais c'est au XIXᵉ siècle (1823 - 1848) que de
gantesques travaux ont remodelé les pentes
ui dominent l'Isère. Cet ensemble fortifié
en conservé est aujourd'hui un jardin public.

ie Bastille. The ancient well preserved fortifi-
tions have been turned into public gardens.

43. Le Musée.
ancienne citadelle de Lesdiguières accueille
norme bâtiment du Musée de Grenoble,
auguré en janvier 1994. La tour de la citadel-
(XIVᵉ siècle) s'interroge quelque peu sur
n nouveau voisin, mais les superbes collec-
ons que possédait la ville ont trouvé ici un
dre digne d'elles.

ie Museum. The ancient citadel of Lesdiguiè-
s accommodates the gigantic new building
augurated in January 1994. The city's superb
t collections now have a setting to their
easure.

44. Le Synchrotron.
renoble a su, grâce notamment à ses univer-
és et ses laboratoires, se doter d'instru-
ents très performants et acquérir une place
choix dans la recherche scientifique. Le
nchrotron, dernier né d'une série, ouvre des
rspectives très prometteuses pour la
nnaissance de la matière.

ie Synchrotron. Grenoble has managed, main-
through its universities and laboratories to
struct and develop high performance instru-
nts and acquire a leading position in scienti-
research. The Synchrotron, the latest of the
ies, opens up very promising perspectives in
area of research into matter.

45. (double page précédente)
Six heures du soir en hiver (9400 pieds).
A gauche la station des 7 laux, au centre apparaît la
Croix de Chamrousse, où se noue un écheveau de
pistes de descente et de fonds. Au delà de la plaine de
Bourg d'Oisans, déjà gagnée par l'ombre, les pentes
des Grandes Rousses portent plusieurs stations, de
Vaujany à l'Alpe d'Huez.
Géant débonnaire, le Mont Blanc
domine de loin la situation.

(preceding page)
A winter's evening at 6 o'clock (9400 feet).
*In the centre, the Croix de Chamrousse. On the other
side of the Bourg d'Oisans plain, already caught up in
the shade, are the slopes of the Grande Rousse. Like a
good-natured giant in the distance,
the Mont-Blanc dominates all.*

46. L'Emeindra.
Nature à peu près vierge aux portes de la
ville. Mais le brouillard plus ou moins pollué
noie le bord de la montagne qui s'engloutit
comme dans une eau profonde.

*The Emeindra. Unspoilt nature at the
city gates.*

47. Le Collet d'Allevard.
Cette station domine la cité d'Allevard, qui
fut un grand centre metallurgique et exploi-
te aujourd'hui les bienfaits de ses eaux sulfu-
reuses pour soigner les affections de la
gorge et des rhumatismes

*Collet d'Allevard. This station dominates the
town of Allevard, once an important metal-
lurgical centre, today exploits the beneficial
properties of it sulphuric waters to treat
throat infections and rheumatism.*

48. La chaine de Belledonne.
Qualifié de «sierra» par les géographes,
ce massif cristallin usé et raboté au primaire,
puis porté en altitude par le glissement alpin,
garde encore un aspect lourd, simplement
dentelé. Il offre aux skieurs d'assez vastes
espaces aux pentes moyennes. Aussi les stations
s'échelonnent-elles de Chamrousse (premier
plan) au Collet d'Allevard en passant par les Sept
Laux (Prapoutel et le Pleynet). Au fond, toujours
de garde, le Mont-Blanc.

Belledonne range.
Qualified as a «sierra» by
geographers, Belledonne offers fairly extensive
skiing areas on average slopes.

50. Prapoutel.
Une petite agglomération est née de l'attrait des vastes champs de neige des Sept-Laux.
La nuit, les lumières scintillent comme de nouvelles étoiles dans le ciel de Grenoble.

Prapoutel. At night, the lights of this station twinkle like new stars in the Grenoble sky.

51. Chamrousse.
Le site fut choisi pour les principales épreuves de ski alpin lors des Jeux Olympiques
d'hiver de 1968. C'était justice car c'est ici qu'Henri Duhamel, dans les années 1880,
fit les premiers essais de skis en France.

*Chamrousse. This site was selected for the major events of Alpine skiing for
the 1968 Olympic Games in honour of Henri Duhamel who tried out the first skis in
France on these slopes in 1880.*

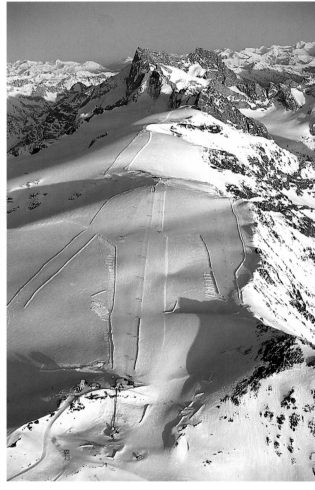

52 Barrage de Grand-Maison.
La houille blanche (utilisée en 1867 à Lancey par Aristide Bergès) est une des richesses de la montagne. Certains réservoirs sont considérables, comme Serre-Ponçon, sur la Durance, ou, ici, le barrage de Grand-Maison, sur l'Eau d'Olles.

Grand-Maison Dam. Hydroelectric power (used in 1867 at Lancey by Aristide Bergès) is one of the riches of the mountain. Some reservoirs are enormous, like Serre-Ponçon, on the Durance, or, here, the Grand-Maison Dam, on the Eau d'Olles.

53 L'Alpe d'Huez.
Une des plus prestigieuses stations des Alpes, dont le domaine s'élève jusqu'à 3 327 m au pic du Lac Blanc. La route d'accès qui escalade 1140 m en 13 kms est devenue un moment essentiel du Tour de France cycliste.

Alpe d'Huez. One of the most prestigious stations in the Alps, which extends up to 3 327 m to the peak of Lake Blanc. The access road which climbs 1140 m in 13 km has become a «must» for the cycle «Tour de France».

54, 55 Les Deux Alpes.
Ce vallon, ouvert à la fois sur la Romanche et le Vénéon, servait d'alpage aux deux villages de Venosc et du Mont de Lans. De nombreuses remontées mécaniques (avec notamment un funiculaire souterrain) permettent d'atteindre la neige en toute saison.

Les Deux Alpes. This saddle, opening both on to the Romanche and the Vénéon, serves as alpine pasture for the two villages of Venosc and Mont de Lans. Many ski lifts, together with an underground funicular railway, permit the snow to be reached at any time of year

Mont de Lans. (voir N° 57)

Mont de Lans. (See No. 57).

56 Vallée de Vaujany et lac du Verney.
vue plonge en direction générale du sud vers
laine de Rochetaillée-Bourg d'Oisans, en sur-
nt le lac artificiel du Verney, créé sur
u d'Olle en liaison avec le barrage de
nd-Maison, situé en amont.

jany Valley and Lake Verney.
view plunges towards the south and the plain of
hetaillée-Bourg d'Oisans, overlooking the artifi-
Lake Verney, created on the Eau d'Olle coupled
the Grand-Maison dam, located above.

57. (double page suivante) Au coeur de l'Oisans.
Les plus hautes surfaces neigeuses sont maintenant à la porté des skieurs grâce
aux téléphériques de plus en plus audacieux et aux engins qui dament les pistes
(la trace est bien visible au centre). Nous sommes pourtant sur le glacier du
Mont de Lans, à plus de 3000 mètres, à deux pas de la Meije dont le Doigt de
Dieu pointe derrière le Grand Pic. A droite, le profil des Ecrins (4103 m.) que
furent jusqu'en 1860 le point culminant de la France. Sur leur droite, le Pelvoux.
Au fond, vers le centre, la pyramide italienne du Viso.

(overleaf) In the heart of Oisans.
The Mont de Lans Glacier culminates at over
3000 meters, not far from the Meije whose Doigt de Dieu (God's Finger) points out
from behind the Grand Pic. To the right, the profile of the Ecrins, which until 1860
was the highest summit in France. Further right, the Pelvoux.

58 Le Cirque d'Arsine.
Un des plus beaux cirques des Alpes. Il est encerclé de parois si raides que la neige ne s'y accroche pas. Dans la cuvette, le glacier d'Arsine
a poussé naguère (jusqu'au XIX siècle) sa moraine dont la fraîcheur de forme est étonnante. Aujourd'hui, la large langue n'occupe plus tant d'espace et
laisse place à des lacs et des éboulis. Royaume des alpinistes, les sommets de l'Oisans font cercle, dominés par la barre des Ecrins.

*Arsine cirque. One of the most beautiful cirques in the Alps. The surrounding rock faces are so steep that the snow cannot cling to them. Dominated by the
Ecrins ridge, the mountain tops of Oisans form a circle around this kingdom for alpinists.*

59. Pic de l'Etendard.
Le culminant (3 468 m.) du massif des Rousses, à la frontière entre le Dauphiné et la Savoie.
Sur la droite, le glacier de Sarenne.

Pic de l'Etendard. On the border between the provinces of Dauphiné and Savoie.

60. Col du Sabot.
Sauf de rares exceptions, les cols des Alpes n'ont été franchis pendant très longtemps
que par des chemins muletiers. Le génie militaire, pour les besoins de la défense, puis l'Equipement pour ceux
du tourisme ont depuis un siècle multiplié les liaisons, au prix de virages multipliés.

Col du Sabot. For years, the mountain passes in the Alps were crossed only by mule tracks.

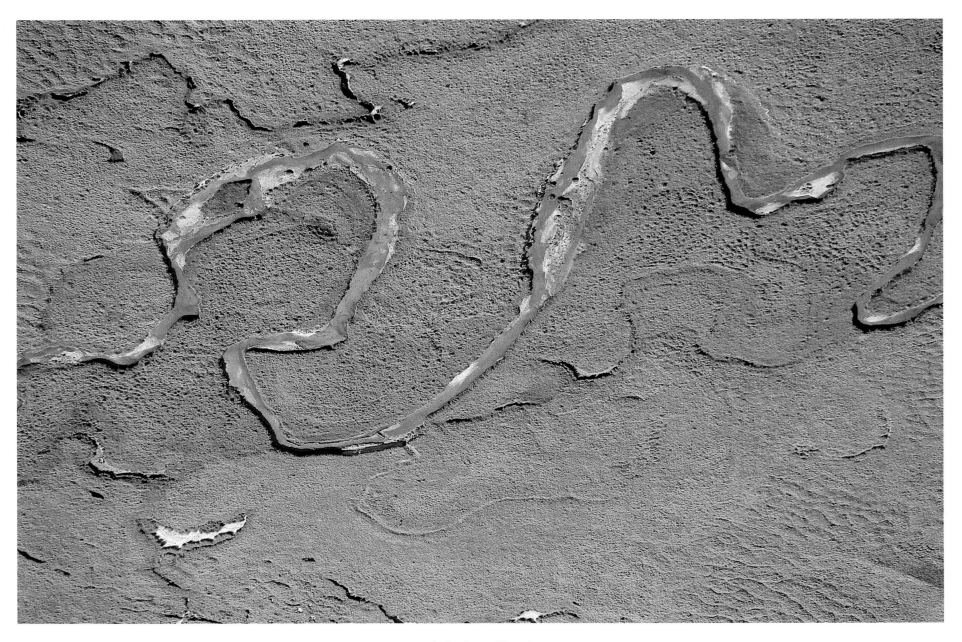

61. Le plateau d'Emparis.
La sculpture des massifs par les glaciers a laissé de nombreux replats, souvent garnis de lacs ou de marécages.
Ici, face aux pentes vertigineuses de la Meije, un ruisseau divague en méandres paresseux. Contrairement à
l'effet macrophoto, l'echelle réelle est de 3 kms.

*Plateau d'Emparis. The glaciers that sculpted these massifs have left behind many shelves, often with lakes or
marshes. Here, opposite the breathtaking peaks of the Meije, a stream meanders lazily. Not a trick; of the eye,
3 km of stream is visible in this view!*

62. La Grave (1526 m.).
Capitale de l'alpinisme en Oisans. Le petit village
montagnard s'est agrandi de nombreux hôtels et résidences secondaires. La route Grenoble - Briançon par
le Lautaret connaît un trafic touristique considérable.
Cette joyeuse animation ne doit pas faire oublier que
jusqu'en 1900, l'ensevelissement hivernal du village
sous la neige l'isolait pour cinq ou six mois du monde
extérieur.

La Grave.
A capital for alpinism in Oisans. The road from
Grenoble to Briançon via the Lautaret bears a lot of
touristic traffic. Despite the joyful bustle, it should be
remembered that until 1900, in the winter, the village
was isolated from the rest of the world for five or six
months by the snow.

63. Le Chazelet (1650 m.).
La nécessité de ne pas allonger les déplacements vers les champs a multiplié les hameaux dont les maisons se serrent autour d'une église, dotée ici d'un clocher et d'un porche gothiques. Beau contraste entre le versant ensoleillé (l'adret ou endroit) et le versant à l'ombre couvert de forêts (ubac ou envers).

Le Chazelet.
Note the beautiful contrast between the sunny south facing side and the shady north facing side covered in forests.

64. Les Terrasses.
Autre hameau de la même commune de la Grave. Eloquent exemple de cette «agriculture héroïque» dont parle Raoul Blanchard.
Pour cultiver les pentes, il faut échelonner des terrasses soutenues par des murets de pierre sèche, et sans cesse remonter la terre qui fuit vers le bas. Les traces sont
encore bien visibles de cette recherche désespérée de surfaces cultivables pour arracher une fragile survie à un relief et un climat difficiles.

*Les Terrasses. An eloquent example of «heroic agriculture» described by Raoul Blanchard. To cultivate the slopes, the stepped terraces are supported by stone walls and the
earth that runs away constantly needs to be carried back up. The traces of this striving to eke out a living from a difficult land and climate are still clearly visible.*

65. Route du Galibier.
Le col du Galibier (2 646 m.) relie le Briançonnais dauphinois à la Maurienne savoyarde.
Il fut très utilisé par les militaires, notamment aux XVIe et XVIIe siècles. L'ancienne route grimpe rapidement en
lacets serrés (au fond à droite) qui contrastent avec l'ample tracé de la route moderne.

*The road to the Galibier. The Galibier Pass offers communication between the Briançon area
in Dauphiné and the Maurienne in Savoie.*

66. Briançon.
Au carrefour des vallées de la Durance, de la Clarée, de la Guisane et la Ceyrverette, le rocher inscrit dans une boucle de la Durance offrait un site très favorable à l'implantation d'un ville. Déjà citée à l'époque romaine, Briançon présida au Moyen-Âge la curieuse fédération des Escartons, groupement de vallées montagnardes dauphinoises situées sur les deux versants des Alpes. Ceinte d'une muraille au XIVe siècle, Briançon fut vraiment fortifiée par Vauban qui donna également les dessins de la nouvelle église paroissiale. Complétées par des forts du XVIIIe au XXe siècle, les fortifications constituent un ensemble immense, très pittoresquement situé et d'une imposante grandeur.

Briançon.
At the crossroads of the valleys of the Durance, the Clarée, the Guisane and the Ceyrverette, the steep rock hill circumscribed in a loop of the Durance offered a favourable setting for a town. Cited by the Romans, fortified by Vauban, the old city is majestic.

67. Montdauphin.
Louis XIV accepta en 1693 le projet de Vauban pour fortifier le confluent du Guil et de la Durance. L'enceinte fut construite, les bâtiments militaires développés au XVIIIe siècle, mais la population espérée pour garnir la ville ne vint pas occuper les îlots prévus pour les maisons civiles. Parcourir Montdauphin aujourd'hui procure une singulière sensation de remonter le temps.

Montdauphin.
Fortifications designed by Vauban at the confluence between the Guil and the Durance.

68. Château de Tallard (Hautes Alpes).
Le Maréchal de Tallard conduisit le terrible sac du Palatinat ordonné par Louvois. En représailles, les troupes piémontaises brûlèrent son château en 1692. A côté des ruines consolidées, on a pu restaurer un corps de logis et la chapelle, à la curieuse façade Renaissance.

Tallard Castle

69, 70.
Le lac de Monteynard.
Le Drac (le dragon) a é
assagi par les barrages
EDF depuis le Sautet, l
plus ancien, jusqu'à
Monteynard, le plus
récent. Celui-ci prête s
plan d'eau à tous les an
teurs de sports nautiqu

Lake Monteynard.
The Drac (dragon) has
been tamed by the dams
of EDF (French Nation
Grid). This lake is a bo
for all water sports
enthusiasts.

72. L'Obiou (2790 m.).
Lou biou, le boeuf, à cause de sa silhouette.
L'érosion a taillé à grands coups dans ces roches
friables qui s'enrobent d'immenses éboulis.
L'Obiou ferme l'horizon méridional de Grenoble.

L'Obiou.
Meaning «the ox», because of its shape.

73. Lalley.

re l'Obiou et le Vercors, le Trièves est ouvert
s influences opposées. Les toits de tuile
lle à quatre pentes sont dauphinois, mais la
ise qui les borde vient du midi. Ce riche
on, encore très rural, abrite une forte minori-
'habitants de religion réformée.

ey.
veen the Obiou and the Vercors, Trièves is a
n open to contradictory influences, displayed
as different roof architecture.

74. Viaduc.
Ouverte en 1885, la voie ferrée de Grenoble à
Veyne franchit le col de la Croix-Haute
(1179 m.) grâce à de nombreux ouvrages d'art,
viaducs et tunnels. Peu utilisée, cette ligne
pourrait cependant assurer une bonne part du
trafic confié à des camions qui obstruent la
R.N. 75 très fréquentée.

A viaduct. The railway from Grenoble to Veyne
uses a succession of tunnels and viaducts.
This railway line is not much used although it
could relieve the heavy road trafic.

75. Chichiliane.
Le nom du village (villa Ceciliana, propriété de Coecilius) témoigne de l'ancienneté de la mise en valeur de cet avant-pays du Vercors, bord extrême du Trièves.

Chichiliane.
An old village on the limit with Trièves.

76. Golf de Corrençon.
Corrençon golf course.

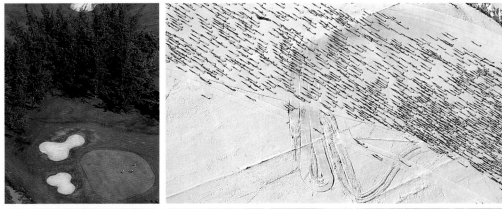

77. La Foulée Blanche.
st d'Autrans que part la "Foulée Blanche".
aque année, plus de 10000 skieurs de tous
eaux y participent et la consacrent premier
semblement de ski de fond en France.

e «Foulée Blanche».
rans is the centre for the «Foulée Blanche».
h year, more than 10000 skiers of all levels
e part in the most important cross-country
ng event in France.

78. Bordure du Vercors.
Nous voici à l'intérieur de la citadelle, accessible
seulement par quelques «pas», brèches étroites
et abruptes (a l'extrême droite). Le soir venu,
l'ombre de la montagne voile peu à peu la plaine
et Grenoble, identifiable par ses trois tours.

Limits of the Vercors.
In the evening, the shadows slowly cover the plain
of Grenoble, easily recognized by the three modern
towers.

79. (double page suivante)
Panorama des Alpes du Nord
Au premier plan le Vercors, massif des Préalpes calcaires. Les couches, qui ont glissé vers l'ouest lors de
la surrection des massifs centraux, pointent leur
tranche vers le ciel (à gauche, le Grand-Veymont,
2 341 m.) La plate-forme du Mont-Aiguille (à droite)
est couverte de neige. Vient ensuite l'ample dépres-
sion méridienne du sillon alpin, dominée par la chaî-
ne des massifs cristallins centraux (au fond, un peu à
droite, le Mont-Blanc, plus en avant, Belledonne et les
Grandes-Rousses). La zone intra-alpine, la plus com-
pliquée, apparaît enfin, notamment à l'extrême droite
avec les trois aiguilles d'Arves.

(overleaf)
Panorama of the Northern Alps. In the foreground, the
Vercors. The platform on the Mont Aiguille is covered
in snow. In the distance lies the large meridian depres-
sion formed by the Alpine trough. To the right, the
Mont Blanc, and closer up Belledonne and the Grandes
Rousses. At the extreme right, the three Aiguilles
d'Arves.

80 à **82**. Le Mont-Aiguille (2086 m.)

L'érosion a fait reculer les falaises du Vercors (comme la mer le fait pour un littoral). Un fragment du plateau a été épargné et constitue une «butte témoin», îlot détaché, cerné d'à-pic. L'imagination populaire, impressionnée, y voyait des fées et des lutins. On le compte dans les sept merveilles du Dauphiné. Il fut gravi sur l'ordre de Charles VIII, en 1492 par Antoine de Ville. Ce fut plus un travail de charpentier que du véritable alpinisme : toute la falaise fut équipée d'échelles de bois scellées dans le roc. Le pilote montagnard Henri Giraud y a posé 53 fois son avion. On devine la précision nécessaire à un atterrissage dont la trajectoire doit, autant que possible, s'arrêter avant le bord opposé (seule la partie la plus éloignée de la prairie est utilisable). Certains passagers en ont ressenti une impression durable ...

83. (double page suivante)
La falaise orientale du Vercors.
Vision saisissante de la barrière verticale continue qui cerne le Vercors sur une large partie de
son périmètre (un peu à droite, la Grande
Moucherolle, 2 284 m.). L'image d'une citadelle
vient naturellement à l'esprit et fut à l'origine du
«plan montagnard», conçu par Pierre Daloz et
Jean Prevost en 1942. Le dénouement drama-
tique de cette épopée en juillet 1944, n'est pas
imputable aux premiers concepteurs dont l'idée
fut modifiée et privée des moyens nécessaires.

(overleaf)
Oriental cliff of the Vercors.
A breathtaking sight of the continuous vertical
ridge that surrounds most of the Vercors.

nt Aiguille.
he imagination of the local folk, this impressive residual hill sheltered fairies and elves.
s counted amongst the seven marvels of Dauphiné. The mountain pilot Henri Giraud has
ded 53 times on its summit. One can imagine the accuracy required by a landing where
aircraft ought preferably to stop before reaching the opposite end (only the farthest part of
meadow is fit to be used). It left most passengers with a long lasting impression ...

84. Pont-en-Royans.
Plusieurs rivières traversent le Vercors par des gorges très pittoresques, au long desquelles alternent des élargissements couronnés de falaises et des goulets très étroits. On voit ici le dernier effort de la Bourne pour sortir du Vercors. C'est à ce point que les maisons de Pont-en-Royans accrochent au dessus de l'eau leurs fragiles encorbellements de bois.

Pont-en-Royans.
Several rivers cross the Vercors by picturesque gorges, which alternately widen to be crowned by cliffs and then close to narrow gullies. One sees here the final effort of the Bourne to leave the Vercors. It is at here that the houses of Pont-en-Royans overhang their fragile upper stories over the water.

85. Saint Nazaire-en-Royans.
Peu avant le confluent de la Bourne et de l'Isère, le village de Saint Nazaire est traversé par un aqueduc d'allure très romaine, mais édifié seulement au XIXe siècle pour conduire les eaux de la Bourne arroser la plaine de Valence.

Saint Nazaire-en-Royans.
A Roman-style aqueduct takes water from the Bourne to water the plain of Valence.

86. Romans.

Nous débouchons dans les plaines rhodaniennes. On distingue le pont, héritier du passage médiéval et, à proximité, l'abbatiale Saint Barnard. Romans fut l'une des principales villes du Dauphiné, mais s'est laissé distancer par Grenoble et Valence. Capitale française de la chaussure, Romans a constitué un etonnant musée ou peuvent se voir des outillages utilisés a divèrses époques et des collections de souliers remarquables.

Romans used to be one of the major towns in Dauphiné.
It is still renowned for its shoe industry.

87. Vienne.
La vallée du Rhône, terme occidental du Dauphiné, fut le point de départ de la dynastie
qui créa cet état féodal, avec le titre de Dauphins de Viennois. Ville romaine plus ancienne
que Lyon, mais dépassée par sa rivale, elle jouissait néanmoins d'une flatteuse réputation
(Vienne, belle cité écrivait Martial). La ville médiévale et moderne a recouvert la cité
gallo-romaine mais quelques monuments antiques bien conservés témoignent encore de
cette période

Vienne.
Although surpassed today by her rival, Vienne is a more ancient Roman city than Lyons and
enjoyed a flattering reputation. The medieval and modern town was built over the
Gallo-Roman city but some well preserved ancient monuments stand as witnesses of times past

88. La cathédrale Saint Maurice
...pelle que Vienne fut ville sainte et siège d'un
...ssant archevêché.

...nt Maurice Cathedral
...reminder that Vienne was an ecclesiastical
...and a powerful archbishopric..

89. Le théâtre,
dégagé entre les deux guerres, a repris du service et accueille notamment un festival de jazz
dont le succés ne se dément pas.

The theatre,
excavated between the two wars, has been restored
to service notably for the highly-successful jazz festi-
val.

90. Le temple d'Auguste et de Livie
doit sa survie à son utilisation comme église jusqu'au XIXème siècle. La cathédrale St Maurice
rappelle que Vienne fut une cité sainte et siège
d'un puissant archevêché.

The temple of Auguste and Livie
owes it survival to its use as a church until the
XIXth century. The cathedral of St Maurice recalls
that Vienne was a holy city and the seat of a
powerful archbishopric.

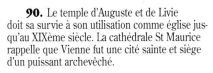

91. Rhône-autoroute.
De tout temps la vallée du Rhône a été un axe de communication entre le nord et la Méditerranée. Cette fonction,
loin de faillir, s'amplifie aujourd'hui où les voies ferrées et
les autoroutes complètent le rôle du fleuve lui-même.

Rhone - Motorway.
The Rhone valley has always been an axe of communication
between the North and the Mediterranean. Far from
diminishing, this function is more important today where
the railway and motorway complement the role of
the River itself.

92. Crest.
La Drôme sert, pour les géographes à délimiter
le passage au climat méditerranéen. Il est bien
vrai que la lumière, la végétation, l'habitat y pren-
nent des allures très méridionales. Crest s'allonge sur une voie romaine qui par Die gagnait la
Durance et le Montgenèvre.

Crest stretches along an old Roman way which
passed through Die on its way to the Durance and
the Montgenèvre.

93. Die.
Ville gallo-romaine riche et étendue, souffre
aujourd'hui d'être à l'écart des grands axes.
Die.

A rich Gallo-Roman town, today suffers by being
off the major communications routes.

94. Saint-Paul-Trois-Châteaux.

ci, l'on peut se croire en Provence : boulevard
irculaire planté de platanes, cathédrale romane
e style méridional, ruelles cherchant l'ombre,
ointe d'accent et chant des cigales.

aint-Paul-Trois-Châteaux. Saint Paul feels stran-
ely like Provence with its circular boulevard
ordered by plane trees, Romanesque cathedral,
arrow streets seeking for the shade and the sound
cicadas.

95. Valréas.

On lit comme sur un plan les étapes du développement de la ville autour de son château et de son
église, par auréoles concentriques jusqu'au large
boulevard, trace de la dernière enceinte supprimée
au XIXe siècle. Souvenir curieux de circonstances
historiques, Valréas et son canton forment aujour-
d'hui encore une enclave du Vaucluse dans le
département de la Drôme.

Valréas. The stages in the town's development are map-
ped in concentric circles around its castle and church.

96. Le Claps de Luc (Drôme).
C'est en 1442 qu'une dalle calcaire a glissé jusqu'au fond de la vallée qu'elle obtura. La Drôme y forma deux lacs ; le plus grand fut vidé en 1778 par une galerie dans la roche. Le chaos (claps) semble tombé d'hier. La voie ferrée Valence-Gap-Briançon l'évite par un tunnel, mais la route y serpente audacieusement : rien n'interdit au phénomène de se renouveler sans préavis.

Le Claps de Luc (Drôme).
In 1442, a limestone slab slid to the bottom of the valley and obstructed it.
There, the Drôme formed two lakes.

XVIe et XVIIe siècles, le château médiéval fut reconstruit partie
s le style de la Renaissance, partie à l'imitation de Versailles. Largement détruit à la
olution, le château a été restauré au début de notre siècle. Sa puissante silhouette
ronne un petit plateau rocheux qui lui fournit une terrasse, prolongée sur le toit de
ise paroissiale. Ici plane le souvenir de Madame de Sévigné en visite chez sa fille
enue comtesse de Grignan.

nan.
ne XVIth and XVIIth century, the medieval castle was partly rebuilt
enaissance style. The memory of Madame de Sevigny still lingers.

Editions
François Dardelet
Grenoble

mise en page, réalisation
Studio Dardelet
260, rue Doyen Gosse
38330 St. Ismier
Tél. 76 52 49 00

printed in France Nov. 94
ISBN-2-9506066-1-X

Les auteurs remercient
Jeff Kerckhove et Martin Jezierski :
c'est à leur "finesse de pilotage" qu'ils doivent
certaines de leurs images.

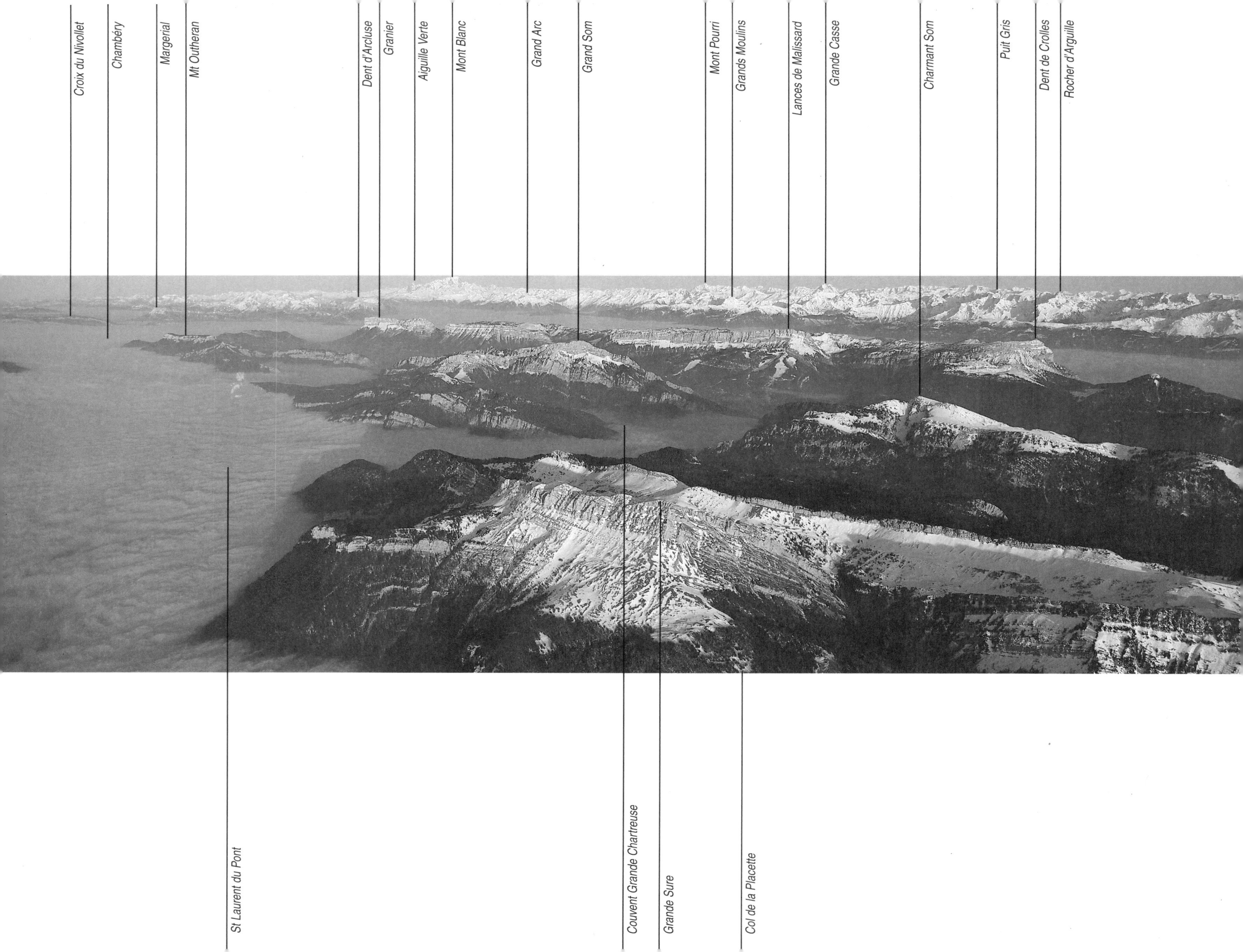

Croix du Nivollet
Chambéry
Margerial
Mt Outheran
Dent d'Arcluse
Granier
Aiguille Verte
Mont Blanc
Grand Arc
Grand Som
Mont Pourri
Grands Moulins
Lances de Malissard
Grande Casse
Charmant Som
Puit Gris
Dent de Crolles
Rocher d'Arguille

St Laurent du Pont
Couvent Grande Chartreuse
Grande Sure
Col de la Placette

Bardonecchia (Italie)

la Meije

Brèche

Pic Gaspard

le Rateau

Briançon

Pic des Agneaux

Mont Viso

Barre des Ecrins

Pic sans Nom

Coup de Sabre

Soreiller

Ailefroide

la Grave

Glacier de la Girose

Dôme de la Lauze

Glacier du Mont de Lans

les Deux Alpes

Vallée du Torrent du Diable (Vallée de la Selle)

Autrans

Grand Veymont (2341)

Grande Moucherolle (2284)

Jura

Rocher des 2 Soeurs

Moucherotte

Grand Som

Charmant Som

Grenoble

Dent de Crolles

Conest

Mt Blanc

Grandes Jorasses

Vanoise

Grandes Rousses

Aiguilles d'Arves

Gresse

Mt Aiguille (2086)